La station de ski

Texte de Stéphanie Ledu
Illustrations de Didier Balicevic

MILAN
jeunesse

C'est l'hiver. Depuis plusieurs jours, il neige en montagne. Ce matin, le **chasse-neige** a dégagé la route.

Les premiers vacanciers arrivent à la **station de ski**.

Avant de partir sur les pistes, on doit s'équiper.
Le magasin loue des **chaussures**, des **skis** et des **bâtons**
adaptés à chacun. Il faut aussi un **casque**,
des **lunettes**... et des **vêtements** bien chauds.

Les plus petits vont au jardin des neiges.
Qui veut faire de la luge ?
Construire un bonhomme ?

À partir de **3 ans**,
on peut aussi commencer
à **glisser** sur des skis.

Le **moniteur** donne une **leçon** aux plus grands. Voici la bonne position : les **genoux fléchis**, le corps un peu **penché en avant**.

BOUM ! Ce n'est pas si facile, mais c'est très amusant !

Pour utiliser les **remontées mécaniques**, il faut acheter un **forfait** à la caisse.

Les **débutants** choisissent les **pistes vertes** ou **bleues**.

Difficiles, les pistes **rouges** sont réservées aux très bons skieurs.

Les gens font la queue
pour emprunter le **tire-fesses**.

On saisit la **perche**, puis
on se laisse tirer. Le départ
est parfois un peu brusque !

14

Pour atteindre les sommets, on monte sur un **télésiège** ou dans une **télécabine**.

Les skieurs doivent respecter
les **règles de sécurité** :
ne pas aller trop vite
et être attentifs aux autres.

Sinon, c'est l'accident !
Les secouristes placent
le blessé dans une barquette.
Un hélicoptère le conduira à l'hôpital.

À chacun son sport : certains préfèrent le **surf des neiges**, où les 2 pieds sont fixés sur une seule planche.

D'autres personnes n'aiment pas la vitesse : elles font du ski de fond, sur des terrains plus plats.

En fin d'après-midi, les pistes ferment.
Pourquoi ne pas aller à la patinoire
ou à la piscine ?

Dans certaines stations, on peut aussi faire des balades en traîneau.

Le grand air, ça fatigue !
Il est l'heure de rentrer
se reposer au chalet.

Il fait bon devant la **cheminée**... Tout le monde a mis ses **chaussettes** à sécher !

La nuit, pour enlever les traces des skis, les dameuses passent sur les pistes et lissent la neige. Il en manque un peu ? Pas de problème ! On en ajoute avec ce canon, qui transforme l'eau en neige.

Reconnais-tu ce lieu ?
C'est la station en été.

Des **marmottes** se chauffent au soleil, des randonneurs
partent en balade... Entre les sapins, on voit des bandes
de gazon. Ce sont les pistes de ski !

Découvre les autres titres
de la collection

Mes P'tits **DOCS**

Et aussi :
À table !
Le bébé
Les camions
Le chantier
Les châteaux forts
Les dinosaures
Le football